Merci,
M. CHATOUILLE

MONSIEUR MADAME

Merci,
M. CHATOUILLE

Roger Hargreaves

hachette
JEUNESSE

À ton avis, quelle était l'occupation préférée de monsieur Chatouille ? Eh bien oui, c'était de faire des chatouilles.

Quel drôle de bonhomme, ce monsieur Chatouille !

Au coin de la rue, sur la place, dans un magasin, tous ceux qui le rencontraient savaient qu'il allait les chatouiller.

Même la petite madame Timide ne pouvait pas y échapper.

Guili-guili, quelle manie !

Certains pensaient qu'en restant chez eux, ils seraient tranquilles. Eh bien, ils se trompaient !

Monsieur Chatouille trouvait le moyen d'aller les chatouiller jusque dans leur salon, et dans toute leur maison.

Il avait les bras tellement longs qu'il se faufilait partout, jusque dans la cheminée de monsieur Lent qui lisait tranquillement son journal.

Monsieur Chatouille était un incorrigible chatouilleur.

Au bout d'un certain temps, les gens en eurent assez.

La boulangère, la marchande de glace, tout le monde décréta que c'était épuisant de travailler en se tordant de rire.

Ils ne voulaient plus des guili-guili de monsieur Chatouille !

Dès qu'il approchait, cric ! crac ! On se barricadait.

– Personne ne m'aime ! se lamentait monsieur Chatouille. Pourtant, je ne fais rien de mal : je ne fais que chatouiller les gens.

Oui, mais voilà, les gens n'aimaient pas ça !

Et il était très triste.

Boum ! Boum ! Boum ! À quelques pas de là, la petite Annie faisait rebondir le joli ballon que lui avait offert sa grand-mère.

– Plus haut ! Encore plus haut ! criait-elle en riant aux éclats.

Et le ballon montait, montait dans le beau ciel de l'été…

… tant et si bien qu'il resta coincé entre les branches d'un arbre.

– Monsieur Petit, venez m'aider ! appela Annie,
désespérée.

– Je m'en occupe ! répondit monsieur Petit, accourant
aussitôt avec son échelle.

Hop ! En haut de l'échelle ! Hop ! En haut de l'arbre !
Monsieur Petit lança bientôt son joli ballon à Annie.

Comme le sol paraissait loin, du haut de cet arbre !
Monsieur Petit avait l'impression que tout tournait.

Il agrippa une branche, la serra de toutes ses forces :
monsieur Petit avait bel et bien le vertige !

Redescendre de l'arbre lui paraissait au-dessus
de ses forces.

– Ne vous inquiétez pas ! le rassura monsieur Bing.
Je vais rebondir jusqu'en haut de l'arbre et vous tirer
de là !

Bing ! Bing ! Bing ! Monsieur Bing sauta de plus en plus
haut, retomba, rebondit, encore et encore.

Hélas, il ne parvint pas à atteindre le malheureux
monsieur Petit, toujours coincé dans l'arbre.

– Ce n'est pas grave, je sais comment m'y prendre, annonça madame Magie.

À peine eut-elle levé sa baguette magique que l'arbre se couvrit de bonbons.

– Merci pour les bonbons ! dit monsieur Petit, mécontent. Mais je suis toujours coincé dans mon arbre…

– J'en fais mon affaire ! assura monsieur Costaud.

Et il se mit à secouer l'arbre de toutes ses forces.

– Arrêtez-le ! Arrêtez-le ! cria monsieur Petit. Il va finir par me faire tomber.

Alors madame Bonheur eut une idée :
monsieur Chatouille pourrait tirer le prisonnier
de ce mauvais pas, elle en était sûre.

– Monsieur Chatouille, appela-t-elle. Hou, hou !
Venez vite ! Nous avons besoin de vous !

Ainsi, on avait besoin de lui !

Oubliée, la mélancolie ! Envolée, la tristesse !
Monsieur Chatouille courut jusqu'à l'arbre,
tendit l'un de ses immenses bras et déposa
monsieur Petit sur le sol.

– Merci, monsieur Chatouille, je n'oublierai jamais
votre geste !

– Pour vous remercier, nous vous laissons nous chatouiller ! firent d'une seule voix tous les voisins de monsieur Chatouille.

Monsieur Chatouille ne se le fit pas dire deux fois ! Guili-guili ! Ils riaient tous aux éclats.

Mais, au bout d'un moment, monsieur Chatouille...

… eut tellement mal aux bras qu'il fut obligé de rentrer chez lui, épuisé !

RÉUNIS VITE LA COLLECTION ENTIÈRE

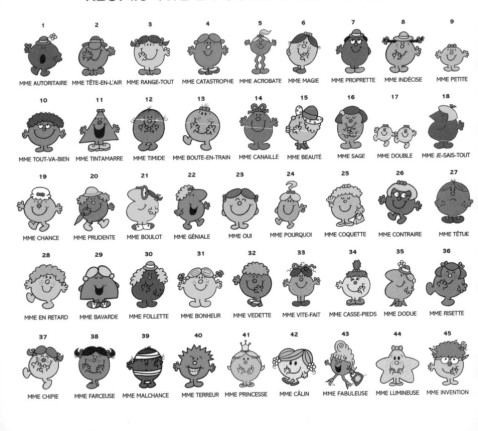

DES **MONSIEUR MADAME**

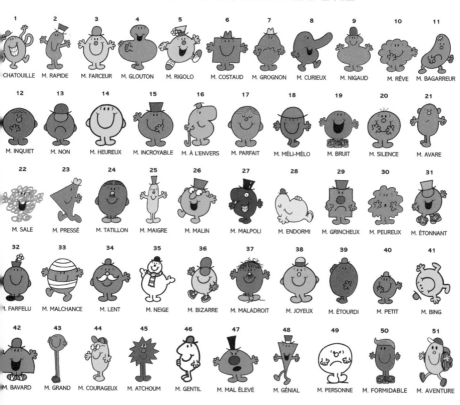

1 CHATOUILLE
2 M. RAPIDE
3 M. FARCEUR
4 M. GLOUTON
5 M. RIGOLO
6 M. COSTAUD
7 M. GROGNON
8 M. CURIEUX
9 M. NIGAUD
10 M. RÊVE
11 M. BAGARREUR

12 M. INQUIET
13 M. NON
14 M. HEUREUX
15 M. INCROYABLE
16 M. À L'ENVERS
17 M. PARFAIT
18 M. MÉLI-MÉLO
19 M. BRUIT
20 M. SILENCE
21 M. AVARE

22 M. SALE
23 M. PRESSÉ
24 M. TATILLON
25 M. MAIGRE
26 M. MALIN
27 M. MALPOLI
28 M. ENDORMI
29 M. GRINCHEUX
30 M. PEUREUX
31 M. ÉTONNANT

32 M. FARFELU
33 M. MALCHANCE
34 M. LENT
35 M. NEIGE
36 M. BIZARRE
37 M. MALADROIT
38 M. JOYEUX
39 M. ÉTOURDI
40 M. PETIT
41 M. BING

42 M. BAVARD
43 M. GRAND
44 M. COURAGEUX
45 M. ATCHOUM
46 M. GENTIL
47 M. MAL ÉLEVÉ
48 M. GÉNIAL
49 M. PERSONNE
50 M. FORMIDABLE
51 M. AVENTURE

Adaptation : Josette Gontier.

Édité par Hachette Livre – 58, rue Jean Bleuzen, 92178 Vanves Cedex
Dépôt légal : mai 2011.
Loi n° 49-956 du 16 juillet 1949 sur les publications destinées la jeunesse.
Achevé d'imprimer par Canale en Roumanie.